Уређује
НОВИЦА ТАДИЋ

Ликовно обликује
ДОБРИЛО М. НИКОЛИЋ

Илустрација на корицама
Анджеј Кијовски, Ангелика

знакови поред пута

Милан Ђорђевић

ЦРНА ПОМОРАНЏА

Рад | Београд
| 2004

ПРОЛОГ

БЕЗИМЕНА

О теби сам много пута говорио. И често те призивао. Док си безимена освајала празне собе, пунила баште и тргове, желео сам да ти милујем крзно најређе звери. Ти немости облутака и минерала, ћилибара и амонита, ти зелено дисање паркова, гуштара и борових шума, и даље освајаш градове и улице. Ти жуто таласање дина, тамна подморска модрино, много пута хтео сам да се стопим са тобом као што се у сновима стапам са чудним пределима. И док ме окружујеш, док кроз тебе меко газе мачке, ниси ми крв, ни ледени ваздух, ни планинска вода, ни цинобер ватре, ни жива рана, ниси ми ништа. Хоћу да одем од тебе као од жене коју не волим. Хоћу да побегнем као од маћехе, домовине која ме је одбацила и држала издвојеног у тами, иза дебеле и прашњаве завесе, у шкрињи и подрумској мемли. Желим да потонем у креви најбучнијег града, у гомили да обновим снагу и опијем се ружноћом насиља и шикљањем људских урлика а да ми музика буду крици и црвена врелина. Од данас, немости риба и алги, безимена оморино пре олује, ти што миришеш на озон после грмљавине и кише, ти густи меде, маино и утихо, тешко ћутање пре пропасти света, од данас, бука ће ми бити све а ти ми нећеш бити ништа.

ПЛОВИДБА

ПЛОВИДБА

Досад сам само замишљао пловидбу,
а сад ћу се стварно укрцати на брод,
сад ћу једноставно испловити из луке.

Изложићу се фијукању ледених ветрова,
големим таласима и чудима Атлантика.
Ослободићу се маштарија и сањарења.

Напустићу све једнолично и бескрвно.
Одбацићу сву јаловост замишљања.
Дисаћу као животиња, бићу морнар.

Почећу заиста вешто да скачем и петљам
око бродске снасти и чворова конопаца.
И расплићем све што је давно замршено.

Ево ме, искусни мудри морски вукови,
сироче сам, на копну ником потребно.
Нека ме зато усвоји усталасани океан.

Примите ме, капетани најдуже пловидбе,
мењам суву досаду земаљске извесности
за бескрај узбудљиве неизвесности воде.

Примите ме, ви што клизите плаветнилом,
ви који сте све даље од прве невине луке,
примите ме да победим страх и да се надам.

ПЛАВИ ГРАД

Чинило ми се да је Сен Назер
град плаветнила, град светлости,
мирни град подневне јасноће.

Чинило ми се, то је флуоресцентно место
зелене, љубичасте, оранжне и црвене ноћи
и лука лишена мрака подземља и таме дана.

Мада бродови у ту луку упловљавају,
у њој не цветају ни опасност ни зло,
а ни тајни пороци победнички не ликују.

Нема тамних пушионица опијума,
нема топлих мрестилишта јавних кућа,
ни улица сладострашћа и црвених светиљки.

Само пар курви у бару сред града
личи на родољубиве и уморне домаћице
што сада тела продају из чисте љубави.

Па ипак, и тамо где влада светлост
људи у себи крију оно најмрачније
па никад не знаш кад ће да се јави.

КРАЈ ВЕЛИКЕ ВОДЕ

Све ти се у хладно ждрело слива.
Осека си, плима, пена и смиривање,
мушко, женско, тама, модра и сива.

Ти си грмљавина и свеже распрскавање.
Бела смрт је твоја слана, сува суштина,
на камену обале кристално чисто ћутање.

Твој бескрај само је бес што има крај.
Ја не знам како у твој Рај да дођем.
Али бурна и мирна пловидба нема крај.

Којим очима твоја ме пучина гледа?
Очима ајкула, ража, очима сипа, китова?
Равнодушним очима боје неба и леда?

Нисам крај тебе сам али никада не знам,
океане ноћи, како ћу до твога краја доћи.
Све што си ми дао, ја ћу на крају да ти дам.

Пловидба је кретање твојим крвотоком.
И после смрти оно ће ти у плаветнилу трајати,
стапајући се с крајем као светлост с оком.

АТЛАНТИК

Гледам те, плаветна звери.
Гледам бесно пенушање
и буктање у бури и невери.

Ти што гуташ људе и бродове,
видим те као сињу дивљину.
Раздвајаш стварност и снове.

Желим да пловим пучином
и да будем опкољен небом,
таласима и сланом пустињом.

Ти у чијем бескрају пламте
и ража и хоботница и медуза,
као вечност додирујем те.

Равнодушности која испарава,
јеси ли излаз из људске тамнице?
Или бес што буди стење док спава?

Ти си час подивљала вода и олујина,
час тешки мир, шумски мед и маина.
Јеси ли онда слобода, јутро или тмина?

Гледам те, плаветна звери.
Гледам бесно пенушање
и буктање у бури и невери.

Желим да пловим пучином
и да сам опкољен небом,
таласима и сланом пустињом.

Желим у бескрају, у плавој тамници
да сам попут језгра ораха у љусци
и да ми вику чују само таласи – крици.

МИРИС КРВИ

Долазим из грмљавине океана.
Корачам тишином Сен Назера.
И опажам тек олистали дрворед.

Преда мном је замирисао
и влажно зеленим заблистао.
Истог часа радост ме озари.

Је ли ме разбудио мирис крви?
Јесу ли се биљне светиљке упалиле
у бескрају тмине, мада је дан?

Или ме ништавило само обасјало
да се лакше вратим у град мртвих
и брже потонем у мочварни сан?

ХОДАЊЕ И ДИСАЊЕ

Слободан си, дишеш крај уснулог океана.
Купаш се у светлости па урањаш у ноћ.
Након осеке у песку налазиш медузу.

Колико има излаза из тамнице и немости,
колико прозора што гледају ведро небо,
колико врата која спајају копно и воду?

На обали Атлантика живо ти пламти биљка.
Чуваш је од мрака, милујеш је светлошћу
или је храниш бојама и опојним мирисима?

Понављаш удисање свежине, издисање отрова.
Бришеш границу између зверске гримизности
и олова, биљне будућности и камене прошлости.

Тонеш у ведрини и лижеш сунчев ћилибар и мед.
Ходаш, близу си излаза, близу чистине слободе,
јер ти си хаос и ништавило али и чиста радост и
ред.

ВЕЛИКО ПЛАВО

Ту је со далеко од суве белине.
То је царство планктона и китова
што увек запљускује обале тмине.

У томе бих нестао као у мраку дан.
То ми је пред очима и није никакав сан.
Спаја ме са људима и древним ватрама.

Спаја ме са рибљим мрестом
и ћутањем гренландског леда
што га сиво небо само гледа.

И кад ме плавим са свима споји,
запенушаће се, расрдити и узбуркати
јер тако милионе својих година броји.

БЕЛИЧАСТИ ОБЛАЦИ

Облаци Тоскане, облаци Умбрије,
беличасти облаци што су вас сликали
Пјеро Дела Франческа и Белини,

облаци што ведро пролазите
док овде пролазим као и сви,
путујем и пловим ка смрти,

разведрите ме вашом белином,
тишину ми разорите грмљавином,
и крв ми кишом пробудите из сна

да јасно видим помрачено јуче,
бучно данас и безгласно сутра
у понору без врха и без дна.

ПУТОВАЊЕ

ТУМАРАЊЕ

Далеко си од крви црних или белих.
Очи ти снимају људска лица и ствари.
Не знаш куда идеш, не знаш ко си,
ни да ли неко за твоје речи мари?

Греју те сећања као гутљаји рума.
Бежиш све даље од уништења и страха.
Ти си плава прозрачност акваријума,
медуза што сахне и дете без даха.

Ћутећи остајеш у злој нествариости.
Али неуништив попут речи Талмуда.
Поново тражиш једноставне радости.

Тумараш тим улицама где нема чуда.
Идеш центром града у новој туробности,
сред самотне гомиле бескрвних луда.

1992–1994

ПЕСНИК

Ти си иње што се на стаклу топи
и помрчина која у зору бледи.
Нестајеш у океану ког жаре тропи
или га ваздух грозног Арктика леди.

Нестајеш у безданој боји уторка.
Гориш у нафти, а у чаши ледене воде
ти си кап јода, и у ноћи Њујорка
плес фарова, бело пенушање соде.

Заспао си као маховина Лабрадора,
наранџасти лишај наготе камена
или замирући сјај опала и фосфора.

Уснуо си попут клифова и морена,
као магма, сада базалтна кора,
јер ти си ноћник врх беса пламена.

ЛЕТО И ЗИМА

Лето – крај рата, лето – почетак оловног умора,
време упијања боја, сокова и мириса Умбрије.
А зима – цветање мраза и бујање ноћних мора.

Зима – нестајање корака у празним улицама,
гушење и тражење радости и осунчаних обала,
тињање жеље да бежиш и најзад постанеш тама.

Зима – смрзавање локви и мрког блата,
распламсавање трески и сувих цепаница
које не личи на зелено буђење стабла.

Сада су то давно окопнеле пласе снега,
сада су то само опиљци, делићи и крхотине,
сећања сачувана као залеђена балега.

Као змија која са себе скида кошуљицу
ослобађам се лета и путујем према тмини.
Лето ће постати труње мог дугог чекања.

Долазим до ивице узнемирене воде океана,
до руба слободе што ће ме радошћу обновити
или прогутати јер ја сам само земаљска храна.

БЕЛО

Под земљом
у париској гомили
на станици метроа
блесне осмех
младе црнкиње.

Тако белина
пркоси ноћи.
Тако радост
постаје крв
сувој самоћи.

БЕЧ, ERLAHGASE

Сиве куће напуњене безвољним људима.
Из сивога не можеш наранџасто исцедити.
Само те наранџе могу освежити радостима.
Њих ћеш влажним језиком и непцима окусити.

Сочне наранџе живе на грчким острвима.
Оне својим облим самоћама заводе
тог што им живо месо плаши очњацима,
па их љушти, рањава или лишава слободе.

Куће, прозори а иза њих неко страхује.
Иза њих стоји човек па нетремице гледа.
Види њихање дојки жене што се разголићује
крај прозора куће оковане тишином леда.

Безвољни људи у сивим кућама спавају.
А ту су и добро нашминкане, хладне жене.
Сиве су куће као песак који кише натапају.
Мрак је у њима обасјан попут црне пене.

Сиве куће насељене су мртвим људима.
Из сивога не можеш наранџасто исцедити.
Само те наранџе могу оживети радостима.
Њих ћеш влажним језиком и непцима окусити.

ГЛАДИОЛЕ

Од гладиола,
цвећа љубави,
сликар таме и бола
кистом направи
цвеће што крвари.

На том платну
Хајима Сутина
дивље се сударају
кадмијум црвена
и пруско плава.

Као што у свима
између рођења
и смрти, плима
и осека, ратују
лед и жива лава.

ОБЛАЦИ

И облаци имају своју историју.
Историју настајања, трајања
и постепеног ишчезавања.

Људска историја је прича
о проливању крви и злочину.
Историја облака је нежнија.

Историја облака је бела.
Облаци се згушњавају
под разним именима.

Ведрином клизе налик рибама,
снежним грудвама, дојкама
или другим женским облинама.

Подсећају на сан о вечности,
на оно што у љубавним играма
стварају небо, вода и земља.

Облаци су згрушавање млека,
претварање капи у густе ројеве,
нагомилавање гваља памука.

Њихова историја је нежна
и паперјаста и олујно тамна,
исписивана ратовима муња.

Облаци припадају историји неба
и узвишених небеских збивања
а не историји кружења воде.

Давно су богови одавде отишли
и све оставили на милост и немилост
ништавилу историје и коначности.

Давно су богови одавде изветрили
само су на ведром небу заборавили
облаке, облаке што као и ми пролазе.

Облаке што имају бурну историју.
Историју настајања, белог трајања
и постепеног и наглог ишчезавања.

НОВАЦ, КАМЕЊЕ И ОБАЛА

Постоји ли мистика новца? Не, не постоји,
никако, никако не постоји. Постоји само моћ
новчане масе. Оне која безбрижно спава у тре-
зорима и невино се увећава и смањује на банков-
ним рачунима. Постоји моћ новца која преобра-
жава тупог идиота у насмејаног генија а ратног
злочинца у добротвора људи, грозна моћ која
нас приближава смрти. И мада песник Јосиф
Бродски пореди новац са природном стихијом,
снага новчане масе личи на снагу урагана или
грома, муње и ватре, на моћ лаве вулкана, ку-
љање бујица или пад снежних лавина. Моћ нов-
ца само је симболична и аветињска. Али симбо-
лични нису ни ветар ни бели облаци изнад Сен
Назера ни запљускивање таласа океана. Нес-
тварне нису мрке и зелене алге, ни мртве медузе
на песку после осеке. Нити је утварно слузаво
месо шкољки и пужева. Нестварни нису ни опо-
ра лепота склиског камења и обале Бретање, ни
стапања влажно зеленог и црног. Они се могу
додирнути и омирисати. Они су једино право бо-
гатство. Они су једина жива моћ. Они су чудесно
непоновљиви као све чему једном приђеш, све
што само једном дотакнеш, ти што сваког бого-
ветног дана у другу реку улазиш.

БОДЉИКАВА ЖИЦА

Правилно затегнута између дрвених колаца и стубова није попут мирољубивих и кишама шкропљених конопаца за веш. Видим је прикуцану ексерима, једноставно заривену у стабло. Опкољава све веће комаде земље, травнате просторе и све више зеленила. Она, кажу, штити приватне поседе, пасторалне идиле, снове, људске себичности, непрекорачиве границе, онемогућава уласке и изласке овцама, кравама, коњима, апатридима, прогнаницима, бегунцима од ратова, бескућницима и другим луталицама. Гледам је како обележава међе ливада. Дуга је њена бодљикава историја, она ратна и мирнодопска. Она говори о верденском и галицијском блату, рововима, крвопролићима, занемелим бездомницима, о Аушвицу и Колими. Та прича је испуњена крицима жртава и прозивкама убица. Ова бодљикава ствар чувала је грумење пепела и топле остатке људскости. У миру, она је савитљива и прилагодљива звер обавијена око калема, звер што у каквом прашњавом углу доброћудно ћути и чека. Тад је само могућност да буде опасна. Па тако намотана, безбрижно скутрена, личи на бодљикаво прасе, склупчаног јежа или неку другу питому зверку. Те жице сећам се из детињства где је окруживала слободу јела и борова запуштеног расадника близу моје куће, а често ми је долазила чак и у снове где сам је прескакао или изненада преко ње главачки падао.

Између њених зарђалих кракова провлачили смо се у бежањима и играма. На бодљама цепали смо одећу. Она нас је рањавала и на коленима и цеваницама остављала нам успомене. А овде у спокојном месту Лангенбројх, овде у Немачкој, гледам друсног коња где провлачи главу између две нове бодљикаве жице не би ли јео гушћу, зеленију и сочнију траву, не би ли остварио жељу. Али жица га онемогућава као што је људе увек онемогућавала да пређу границе и зидове и дођу до онога што сматрали су градовима сунца, Аркадијама или земљама Дембелијама.

ВОЗОВИ У НЕМАЧКОЈ

Ви спори локални возови што ме односите из згрчених градића и успаваних села, ви међуградски, брзи, експресни, бели или боје рђе као „Талис", плави или ишарани графитима, само у вама, стреловити возови, алуминијумом и пластиком оточени, испуњени путницима жедним даљине, једино у вама, муњевити трансевропски возови, у вама блистам храњен привидима, јелима из конзерви и кесица, напајан воћним соковима и грчким вином „Retsina" што мирише на боровину. Само у вама крећем се, оживљавам, док ми жалост брзо коагулира, јер само у кретању живим и пуним се жаром, флуидом, радосном енергијом која људе и животиње чини отпорним на све отровне доброте овога света. Од сада волећу вашу брзину као што волим женске облине и опори укус севања муње.Ви што ретко касните и на жељена одредишта долазите тачно у минут, ви што крећете после звиждука пиштаљки, поздрављам вас, поздрављам вас као што бих из даљине на улици поздрављао жену која ме је одавно напустила! Волим флуидност тренутка кад се јуче претвара у данас а данас у сутра. Волим тренутак заустављања вагона али и час кретања ка неизвесном. Возови, у вама се доживљај одлажења стапа са доживљајем долажења. А они су једно, као што смрт и живот увек од истога полазе и истоме теже, као што се жута и тамноплава боја стапају у свежини борових четина, као што је љубичасто само место где се мешају јарко црвено шипка, лимун жуто и боја небеског плаветнила. Ви спори локални возови што ме одводите из учмалих градова и тескобних села, ви међуградски, интеррегионални, експресни, бели или боје рђе као „Талис“, шљива плави, осликани разноликим графитима, једино у вама, возови, металом и пластиком опточени, возови испуњени путницима гладним даљине, само у вама, трансевропски возови, овако блиста моје транснационално биће и еманира енергију. Оно се изгнано креће док се тама уоколо згрушава. У вама шикљам, течем, у вама сам у трансу, испуњен наранџастим и зеленим магнетизмом, обасјан ултраљубичастим зрацима и храњен калоричним добрима овог све безбојнијег света.

КАПУТ

Тамни капуте из Беча, офуцан си и уморан од толиког ношења. Али ове зиме добро си ме штитио, добро ме на свим путовањима пратио. У Немачкој био си припијен уз мене или си као верни пас лежао недалеко од мене. Вољена жена твоју ми је тежину донела и ставила је на погнута леђа да ме штити од снежних вејавица и северних ветрова. Гледам те обешеног. Опет је распарана твоја црна утроба, глатка постава што сија као бриљантином намазана коса Кубанца. Ко зна чија си рамена раније покривао и чије си дебело или мршаво тело грејао. Нека је слављена честита фирма А.Херцмански из града Беча! Нека је слављена светост прња и све дивне second hand робе! Нека заиста постану мистични сви бувљаци и пијаце овога света! Нека наранџаста светлост огреје и добро нахрани све сиромахе и гладне ове уморне планете! Нека радост озари наша тела! Тела која ће сред најљућих зима као кора месо поморанџи штитити неми и о куке обешени пријатељи, неми али топли и тешки као што си ти, тамни капуте из Беча.

НОЋНА ШЕТЊА МИНСТЕРОМ

После непречишћеног пива и сладоледа од пива, после ракије што се као лек пије из кашика, после свих јестивих дивота и нагле најезде лекара на стари део пивнице „Пинкус“, ноћ је и ходамо минстерским улицама јер и лекари из пивнице сигурно би рекли да је ходање добро за тело и душу. И на тамом орошеним травњацима поново срећем старе пријатеље, куниће који скакућу укочени као механичке играчке на навијање. На улици мимоилазим елегантног пијанца што са невидљивим Doppelgänger-ом прича. Он једини зна шта му двојник говори. Али, питам се, о чему мени говоре електрично осветљени прозори зграда? О чему ми говоре црна окна старе тамнице? Можда ми сви они сибилински говоре да ћу се једном вратити у стари Минстер? Да ћу бити уморни, ведро и дивно као осушена смоква смежурани старац. И све поноћне шетње, лака пена и запљускивања обала мора и сва повијања високих трава на ветру биће одавно иза мене. И сваки дан биће ми радост. Опет ћу срести скакутаве куниће. И крај травњака и кућа Минстера осетићу нетакнути мир. И тад ћу знати да могу спокојно с овог свирепог света да одем. Тада ћу знати да је тајно име што сам га толико година тражио, само чиста безименост ништавила или ноћно скакутање куниђа по трави.

ОДЛАЗАК НА ПИЈАЦУ У МИНСТЕРУ

Катарини Волф-Грисхабер
и Вилхелму Грисхаберу,
пријатељски

Понекад волим да сам животиња, топлокрвна животиња што као да је са Кавказа. Волим да сам дивља животиња која је тек пуштена из тесног кавеза, гримизна животиња што има снагу шикљања гејзира и падања снежног плаза. Понекад волим да сам биљка, зелена и нежно треперава као алга на дну плаветног плићака или воденог мрака. Волим да ћутим као што минерали увек озбиљно ћуте у својим хладним колевкама и гранитним гробницама. Али данас сам гост и греје ме топлина пријатељства. Данас нови пријатељи пружају утеху мојој осами. У самоћи немачког села вратиле су ми се слике као што се биљкама после зиме враћају сокови. Ово пишем природно као да пијем планинску воду, љубим жену, удишем ваздух или једем хлеб. Пишем ове речи као да додирујем нечију руку. Опет сам у Минстеру, у граду који је некада био истински мелем за моју рану. Волим да откривам градове као што волим нагост жене, као што волим да упознајем пределе, књиге и људе, ту најчуднију врсту на овој све празнијој планети. Опет сам у Минстеру, јутро је, ходамо кроз град као пастрмке кад пливају кроз љескаву воду. Нова пријатељица показује старе ханзеатске куће али и део града где су живели безбрижни криминалци. О, господо криминалци, ви свирепошћу храните зло као што плавооки свеци нежношћу хране добро. Како видим, зли људи су овде доле на земљи успешни. Али добри људи доспевају на небо. Они тек тамо трапави успевају да направе истинске каријере анђела. Сад одлазимо на пијацу да тражимо здраву храну и густи мед што има укус шуме, ливаде и пријатељства. Но, мед је другде, данас је далеко као и невино млеко. На тезгама се мешају и блистају боје биљног обиља, од оне белог лука до зеленила спанаћа, салате и оне као осама тамнољубичасте цвекле и купуса. Поврће и воће лепи су као лица Етиопљанки у подне. Поврће и воће блистају окупани сунчевом светлошћу. На пијаци игра се њихова последња опасна игра. Одвојени од земље, можда нам освету спремају. Ту су бело и жуто сирева Француске и Холандије или црнило бибером обложеног сира са Пиринеја. Ту су разнобојне бомбоне, посве сићушно цвеће и свеже месо тужно исечено на смешне комаде. Пијаца је име цветања трговине, игре и слободе. Из ње живот испарава као влага са покислог коња. А око пијаце шетају се светло зелени чувари реда. Посвуда се виде униформе боје лишћа липе, боје једа. Сунчани дан баш је добар дар после сивила и кише. У Минстеру све је уређено као у парку, зеленом орлу поткресаних крила. У њему све је умивено као недеља преподне. Крв траве у овом граду увек је јарко зелена јер је свежином влажности савршено натопљена. Можда твоја и моја крв треба да буде зелена. Тако бисмо се можда приближили кретању воде, ваздуха и стопили се са дисањем земље. Можда бисмо тако доживели оно што се догађа између пада зрна семена и рађања облих, сочних плодова јарких боја.

ЦРНА ТОРБА

Очева торбо, искусна путнице, опрости ми што сам те понижавао и утробу ти пунио намирницама из самопослуга и пластичним кесама-ругобама. Знам да си прошла пола света и да знаш више од мене који сва знања црпим из књига, из дневних и ноћних путовања или из халуцинација и снова, из помрчине алкохола или топлине женских тела. Стара очева путничка торбо, црна пријатељице у сеоској тишини и немачкој потпуној самоћи, када те поново будем носио преко ових блажених поља, где је опасност али где расте оно млечно, спасоносно, када те будем носио по шуми, нећу те никако понижавати, нећу те пунити тричаријама. Бићеш ми најбоља пријатељица. Бићеш нема сведокиња јутарњих излазака сунца и вечерњих јављања белих облина месеца.

РАСТАНЦИ

Растанци, капљање црног туша по чистом папиру, цеђење сока из меса зреле поморанце или поподневно слушање баладе „Waltzing Matilda“. И жалост после њеног певања. Растанци, руковања, брзи загрљаји и обећања што већ личе на оно „never more и никад више“. Размењивања адреса, додиривања коже, сусрети погледа јер у очима увек се нешто види. Растанци, тако далеко од радости долажења, тако далеко од беле сласти првог упознавања, тумарања по непознатим шумама и стазама. Растанци, отварања и испијања боца вина, тетурања под плаветнилом неба и сивилом облака, што као да равнодушно дишу. Растанци, махања са перона железничких станица, зурења у знана лица и одсјаје прозора вагона или гледање из путничке вреве, гледање узлетања авиона. И као што се мехурићи скупљају на пешчаном дну да брзо испливају на ненамрешкану површину и што лакше напусте водену милину, остављамо блиске људе и најопојније тренутке. Растајемо се од зимских предела, топлих речи и боја које су нас храниле, жарењем грејале, оштрим мразом смиривале. Растанци, тренуци прекидања кретања тишине, тренуци настављања путовања у ноћ без краја. Тренуци тако блиски ономе што израња из хладне помрчине. Растајем се са тобом, зимска Немачка, и ти си ми сада само једно женско име, само наранцасто прскање између црнила и арктички савршене белине.

ЗЕМАЉСКИ ПЛОДОВИ

Пријатељи, залуд сам трошио време које ми ̶ на Земљи дато. Уместо да идем једним путем, ̶рчао сам где није требало јурити. Уместо да ̶ратим светлост што га тело упија, светлост у ̶ијој се топлини купам, ходао сам где није тре-̶ало ходати и где се тмине згрушавају. У помр-̶инама сам охоло расипао оно што ми је на ̶емљи подарено. Слепо сам хранио многе ни-̶тарије. Подизао сам их из прашине и каљуге. ̶д житког блата давао им облик. Заиста, неми-̶ице сам губио своје време. Зато ћу сада садити, ̶аливати и брати само земаљске, сочне и јарке ̶лодове што ће у мојој башти радошћу да ме ̶ране. Зато ћу се сада смирити и додиривати све ̶твари као да су ми последње. Зато ћу се одмо-̶ити пре уласка у тунел, пре победе или пораза, ̶ре коначног смрзавања и добре вечности. И ̶ао у сну, зими ћу радосно миловати иње на про-̶ору, миловаћу га као крзно пса а лету ћу прсти-̶а додиривати младу крв боје бобица шумских ̶рибизла. Све ћу с мирном страшћу додиривати ̶ао онај што добро зна: тим жарењем удаљава ̶е велико Ништа.

ИЗЛАЗ

Кроз прозор на крову сеоске куће видим једино небо. Кад је ведро, прозор у Лангенбројху је плави правоугаоник. У јасној ноћи пун месец ми каткада сабласном белином облива постељу и не даје ми да заспим. Па плутам по океану несанице као буба у млеку. Кад пада киша, капи се распрскавају на стаклу. И чујем сиво мрморење и добовање. Кад сија сунце, бели зидови собе окупани су лимун жутим као да сам на обали Средоземног мора. А кад пада снег, бели пауци лење клизе низ стакло. Правоугаони прозоре на крову сеоске куће, окренут бескрају, ти показујеш оно што никада нисам видео. Оно можда непоновљиво чудо, оно што више нећу видети. Можда си излаз који од детињства тражим у поморанџиној и свеопштој помрчини. Поглед бачен кроз тебе можда може открити крај према којем идем – оно за чиме жудим док у овој раскошној пустињи горим као суви грм купине.

ПОГЛЕД

Прозори уоквирују поглед на бродове и ушће Лоаре, на одлажење, долажење, крај и почетак. Знам, све је вода, љескање, таласање, пенушање и мрморење. Све је протицање и пловидба. Док гледам у даљину, играм се и удишем свеж ваздух који водену површину узнемирава. Далеко сам од републике ништавила, далеко од краљевине сталног започињања, далеко од отаџбине плитке помрчине. Обзорје ми показује песак, воду и галебове. А ту су и црна пловила налик патками што доводе и одводе бродове. Пролећна киша пљушти. Морнари бацају ужад. Тако се играју од јутра до мрака, тако распламсавају своје ватре. Знам, вода доноси смрт, обнављање, сан и буђење. Слободан сам. Удишем свежину. Погледом обухватам обзорје. Али њиме ми је поглед заробљен, као што ми је постојање омеђано годинама. До ништавила ми поглед не може допрети. Властити крај не могу видети. Скривају га ужас и уживање што постојим. Одерана сам поморанџа, црна поморанџа која под сунцем дише и чека.

ОБАЛА

Бели галебови на екрану. Стоје на пешчаној обали Бретање. Небо је ведро. Они би да узлете. Али перје им је црним натопљено. Обала је прекривена муљем што куља из утробе потонулог брода. Људи чисте блато и по њему гацају док по води плутају мртве рибе. И ми смо белина и перје, беспомоћно чекање, кунићи у кавезима. Не могу нас заштитити ни зидови опточени плутом, ни књиге исписане у тражењу времена изгубљеног пре буктања и пепела. Не може нас обрадовати густа тишина борових шума. Ни јагоде у мрачним травама што су их дотакла браћа чернобиљског облака. Кречнобела је река мог детињства. Сада удишемо кужна испарења. Али немамо шкрге. Кише усмрћују шуме. Па ипак још увек су лепе месечеве мене, још увек опојно миришу ноћи у августу. Још увек чезнемо за првобитном невиношћу. Али то је привид, бајка о Полинезији, омама и дивна игра нагих, тамнопутих лепотица. Гледам галебове на екрану. Из муља би да узлете. Мртве рибе су опало лишће, оно што се праћакало и мрестило у близини ужаса. И сад плива по катрану свога Стикса. Ту ће му црно сунце обасјати крљушти. Угасиће му светлуцаве очи да гашењем сазна је ли крај благослов или најгрознија казна.

KPAJ

КРАЈ

На крају
Само то.

Зид и прекид,
Црно а бело.

Зид
И срушено.

Зрно, зрело
И смрвљено.

Ни врх,
Ни дно.

На крају
Само то.

Мећавин рој,
Бело ништавило.

И добро
И зло.

Црно
А бело.

ИШЧЕЗЛИ

Не заборављам вас, нестали.
Али сад говорим само живима.
Они су ми једини преостали.

Брбљиви као белуци, ишчезли,
ваше ћутање неће ми помоћи.
Живи ме додирују, добри и зли.

Живи се смеју, крећу се и радују.
Они су жбунови који пламсају
и поморанце које омамљују.

Па ипак, од оних сам што се надају
да ће вас поново једном срести
на снегу почетка или на грозном крају.

ЗАСПАЛОМ ПЕПЕЛУ

Зашто, зашто си нас напустила?
Зашто си из једне грозе у другу прешла?
Зашто си пепео постала?

Ништа не помажу слике прошлости.
Ништа расте у срцу „свакоје злости".
Ништавило ме опкољава.

Зашто, зашто си заспала?
Зашто си се искрала са нашег острва,
Из вреве окружене океаном ничега.

Зашто си ме оставила међу рушевинама,
Зашто између живих боја, мама,
Међу којима ниједна није била твоја?

Мама, моја мамице,
Одлазећи ништа ми ниси рекла,
Никакво море ниси узбуркала.

Никад више нећемо се срести.
Никад више нећемо сећи твоје хлебове.
Никад, никад.

Смрт ће нас бацити на разне стране,
На пуста острва у океану ништавила.
Смрт ће нас раздвојити као и рођење.

Када си као пепео заспала
Језива тишина остала је иза тебе.
А тој грози не могу рећи хвала.

Нико ме више не штити од смрти.
Мама, ти моја једина, добра,
Зашто Да постаје Не?

Зашто је Ништа Све?
Мама, мама, зашто,
Зашто се овако умире?

ТАЛАСИ ОКЕАНА

Шта су таласи, таласи, таласи?
Ударци океана у обалу?
Говор непрегледне воде?

Ништа су, ништа су таласи.
Ништа што ничему говори
и говори на уво што не чује.

Говори му и распрскава се
да би се опет и опет сабрало.
И говорило му језиком воде.

Говорило језиком бескраја
у плавети што се сада смирује
И не нада се ватри пре краја.

ПРИЈАТЕЉИ

Толико сам вам,
О толико вам дао
И ништа није настало
Или из црног истрчало.
Само сиво трчкарање,
Сиво, сиво цијукање
Очицама је гледало
Као језеро у огледало
Па се мирно, мирно
Сивом Ништа предало.

ТИШИНА МРТВИХ

Кад буку преобратиш
У добру тишину мртвих,
Кад се почетку вратиш,
И Све помириш са Ништа
Као гору кад помериш
И воду у вино претвориш,
О доћи ћу ти, доћи ћу ти,
Мој једини, мој љубљени,
И тишину ћу ти једина чути.

НИШТА

Ништа ти.
Ништа ја.

Ништа данас.
Ништа сутра.

Ништа пре.
Ништа после.

Ништа крв.
Ништа смрт.

Ништа се Ничему нада
Као што за бескрајем жуди Све.

ВРАТА

Чим врата отвори,
Крв из рата претвори
У оно недодирљиво.

Па недодирљив и цео
Иза врата дира, дира
Прах и дирљиви пепео.

Тако прстима милује,
Милује незамисливо,
Вечно добро а зло.

До њега дође али не стаје.
Тако постаје Све и Ништа,
Оно што настаје и нестаје.

ГОЛА

Ни звер ни зло.
И Све и ништавило.

Код ње одлазе
Они без страха
И они који се боје.

Изнад свакога бола
Претварају се у боје.

Гола је све што газе.
Можда угаљ, можда млеко
У њој, црној и белој, налазе?

У пределу изнад сваког бола
Где свако Да претвара се у Не
Као осмех лепотице у грч наказе.

НАРАНЏАСТО МЛЕКО

Из твојих поморанџи навире
Као под оштрицама панџи.

Млаз по млаз навире
Наранџасто млеко.

Млеко је твоја радост,
Млеко је твоја светлост.

Оно нас је нахранило
Као живо месо кост.

Али доста је млека наранџастога,
Доста је мрака поморанџинога!

Сад бело бризгајте, пут ка пепелу да обасјате,
Над безданом да подигнете последњи мост.

ЗИД И МРАК

Зазидан сам
Са свих страна.

Бездан сам и лед,
Негледан и сам.

Нити један
Није мој дан.

Нем сам
И немам сан.

Не знам како,
Како да срушим зид?

Никако, никако,
Јер ја сам зид.

Ја сам поморанџа
Што пуни се мраком.

ЉУБАВНА ПЕСМА

Драго моје Ништа,
љубављу и речима
једнако покушавам
да ти удахнем живот.
Од силног удварања
постајем део тебе.

Заносно моје Ништа,
кћери људске празнине,
сад бих да издахнеш
али ти си ми неуништиво,
ти си баш недодирљиво
као све измишљено.

Хоћу ли се можда тебе
једног дана ослободити?
Или ћу те дубоко у себи
као нешто чудно крити
а ти ћеш около рађати
чудовишта и сабласти?

И шапутаћеш исте приче,
пљуштаћеш по мени
истим црним пепелом
и пустињским кишама
али нећеш ми избрисати
мрље крви детињства.

Моје мило и безоблично,
ти бескрвно и безбојно,

ти моје најдраже Ништа,
којим очима да гледам
да бих те стварно видео
и лик ти вечно запамтио?

ВАТРА У БАШТИ

Филипу Давиду

Гледао сам зверку – постаје циновска наказа.
Чијом ли се крвљу нахранила, да ли нам се
умирила?
Је ли заспала попут мрља рђе на крацима
маказа?
Или је можда у дубоком сну саму себе
уништила?

Сва своја писма палим у башти под стаблом
бора.
Гледам пепео, мислим на оне који ће тек
нестати
и на све који су остали ту попут уђутканога
мора.
Можда су и они пепео који тек треба
развејати?

ВРАНА

Свемоћна пријатељице белине ноћи,
хајде да се помиримо и нагодимо.
Знам, по мене ћеш на крају доћи.

Али пре тога, немој ме више мучити,
немој ми досађивати и около кружити
као црна мачка око невиног меса.

Предуго смо једно друго хранили,
дуго сам ти жртвовао све дивоте
које су ми небо и земља поклонили.

Нека ми преостале дане и ноћне тмине
испуне ведре игре, смејања и радости.
Нека сунце Медитерана на мене сине.

А кад ми закрештиш, кад ме позовеш,
у црно ћу заронити, па из њега изронити
да ме белином млечног млаза назовеш.

ДАНИ

Доживели смо најцрње дане,
жена говори без трунке жара.
Биће горих дана и већих ужаса,
мирно јој мушкарац одговара.
Уз њих двоје ни ватра да плане.
Али далеко им је коначни мрак.
Једу бели хлеб или црвене јабуке,
пију ледену воду и зуре у Ништа
што се примиче корак по корак
као из мртвог мора грозни рак.

ЕПИЛОГ

ОГЛЕДАЛО

Овај свет можда ће нестати у експлозији. И то ће бити величанствени крај игре. Можда ћемо се сударити са астероидом што ка Земљи хрли као љубавник који заслепљен јури улицама јер жели да усмрти жену што га је недавно напустила. Можда је путања астероида већ милионима година одређена као смрт мрава, пужева, кактуса, Млечног пута и људи. Наш свет можда ће ишчезнути у ватри и великом распадању. Или ће се постепено хладити као лава и лагано се претварати у све оштрију зиму коју ће преживети само црни пацови и неке врсте инсеката тврдокрилаца и скакаваца. Али ни то неће бити дуго јер после нестајања биљака и животиња, у које убрајам и нашу помало охолу врсту, ишчезнуће ваздух а онда вода и остаће минерали, трагови честица, зрнца прашине у великој пустоши. Али да би свет брже нестао, треба на томе истински и здушно радити, о добри боже. Треба у реке бацати отрове а прозрачни ваздух терати у смрт. Треба спаљивати и крчити шуме, јер чему дивљина, чему зелена раскош што распирује дисање? Треба свим начинима затирати хлорофилно памћење. Ту су и мора и језера да им уништавамо блистање и рибље ћутање. Густим црнилом треба прелити плаветнило океана. Планктон треба угушити, галебове оцрнити, китове уловити па распорити на обалама да труле као оборени столетни храстови. Поврће, земљу и све животиње и људе треба изложити опасним зрачењима. Да, можда ће наш свет нестати у чудовишној експлозији. И то ће можда бити завршетак једне несрећне игре. А ти, несавршена појаво између рибе, мајмуна и ентропије, ти спутано месо, мисли на црну поморанџу, сети се понекад смрти, сети се пустињског песка и пепела, сети се док гледаш крошње борова што се на ветру повијају, сети се – гледаш властити лик у огледалу које ћеш разбити.

О ПИСЦУ

Милан Ђорђевић песник, приповедач, есејиста и преводилац рођен је у Београду 1954. године.

Објавио је књиге песама *Са обе стране коже* (1979), *Мува и друге песме* (1986), *Мумија* (1990), *Ћилибар и врт* (1990), *Пустиња* (1995), *Чисте боје* (2002), књигу есеја и текстова *Цвеће и џунгла* (2000), књиге прича *Глиб и ведрина* (1997), *Слепа улица* (2002). Живи и ради у Београду.

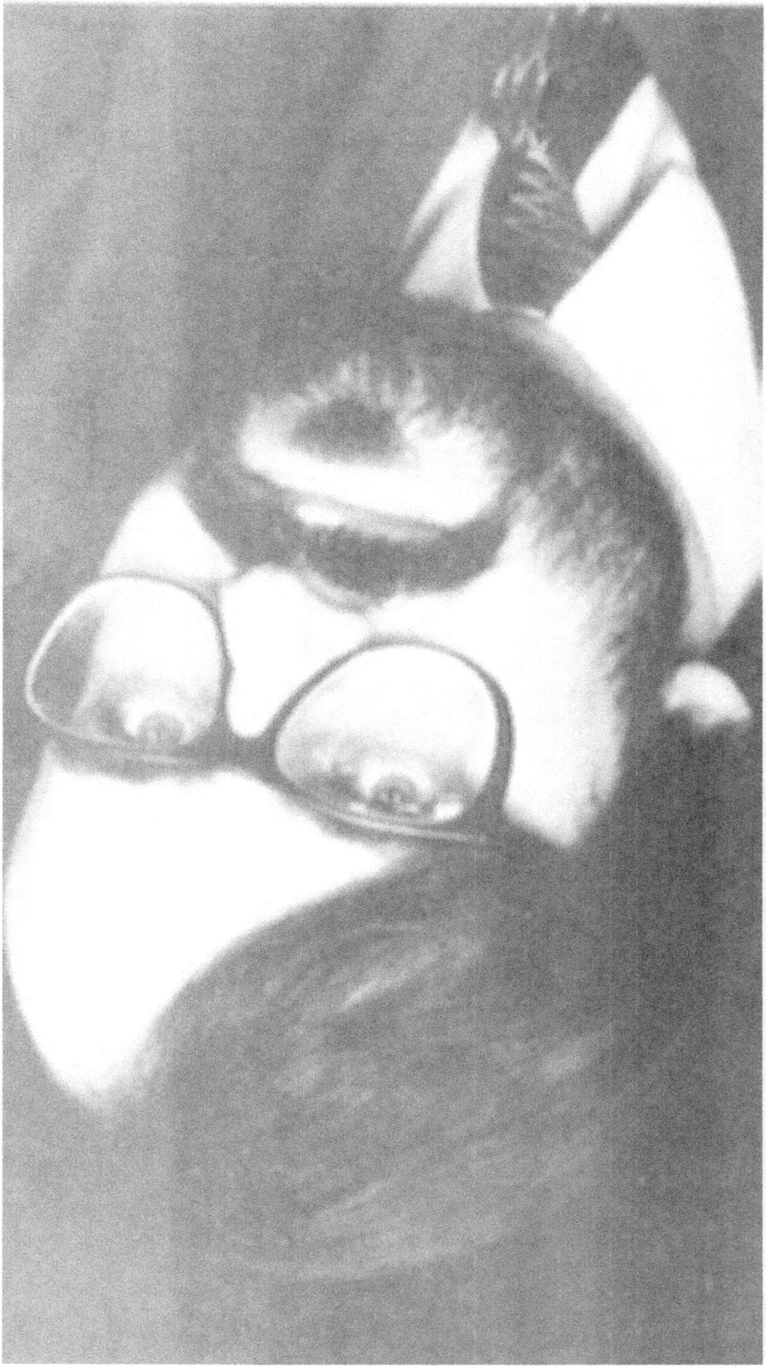

Аутор фотографије
ГОРАНКА МАТИЋ

САДРЖАЈ

ПРОЛОГ

Безимена 7

ПЛОВИДБА

Пловидба 11
Плави град 12
Крај велике воде 13
Атлантик 14
Мирис крви 16
Ходање и дисање 17
Велико плаво 18
Беличасти облаци 19

ПУТОВАЊЕ

Тумарање 23
Песник 24
Лето и зима 25
Бело 26
Беч, Erlahgase 27
Гладиоле 28
Облаци 29
Новац, камење и обала 31
Бодљикава жица 32
Возови у Немачкој 34
Капут 36
Ноћна шетња Минстером 37
Одлазак на пијацу у Минстеру 38

Црна торба 40
Растанци 41
Земаљски плодови 42
Излаз 43
Поглед 44
Обала 45

КРАЈ

Крај 49
Ишчезли 50
Заспалом пепелу 51
Таласи океана 53
Пријатељи 54
Тишина мртвих 55
Ништа 56
Врата 57
Гола 58
Наранџасто млеко 59
Зид и мрак 60
Љубавна песма 61
Ватра у башти 63
Врана 64
Дани 65

ЕПИЛОГ

Огледало 69

О писцу 71

Издавачко предузеће
РАД
Београд, Дечанска 12

*

Главни уредник
НОВИЦА ТАДИЋ

*

Рецензент
ГОЈКО БОЖОВИЋ

*

За издавача
СИМОН СИМОНОВИЋ

*

Штампа
Спринт, Београд

Тираж 500

CIP – Каталогизација у публикацији
Народна библиотека Србије, Београд

886.163.41-14
886.163.41-36

ЂОРЂЕВИЋ, Милан Т.

    Црна поморанџа / Милан Ђорђевић. – Београд : Рад, 2004
(Београд : Спринт). – 76 стр. ; 20 cm. – (Знакови поред пута)

Тираж 500. – О писцу: стр. 71.

ISBN 86-09-00861-4

COBISS.SR-ID 116296972